# 提姆与莎兰 1
# 远方寄来的生日礼物

[日]芭蕉 绿 图·文

[日]猿渡静子 译

南海出版公司

2003·海口

提姆和莎兰是一对双胞胎。他们一直站在窗前向外望着。

"啊,邮递员叔叔来了!还带了个好大好大的包裹!"

"一定是给我们的生日礼物,因为今天是我们的生日呀!"

"太好了!"

两人急忙跑下楼去。

"您好，夫人！天儿真是越来越凉了！"邮递员叔叔说。

"今天我是来给提姆和莎兰送包裹的。"

听到邮递员叔叔这么说，两人激动地跳了起来。

"啊，真的是给我们的呀！"

"妈妈，我们可以打开它吗？"

"当然可以了。"

两人打开箱子，看见里面有两个扎着丝带的盒子，上面还放着一封信。

　　"啊，是你们的爷爷、奶奶寄来的。信上说：'提姆、莎兰，祝你们生日快乐！寄去的是送给你们的生日礼物。春天一到，希望你们能来核桃村玩儿。'你们高兴吧！"

　　"是啊，我太高兴了！这个扎着蓝丝带的肯定是给我的。"

　　"那么扎着红丝带的就是我的了吧。"

扎着红丝带的盒子里装着两条围巾、两副手套和两顶帽子。

它们摸起来软乎乎的，看上去很暖和。而且帽子和围巾上还有毛茸茸的小球。

扎着蓝丝带的盒子里装着好多好多用木头做的小玩具。

"哇，太好了！这都是给我的呀！"

"不可能，这也应该是我们俩一人一半儿！"

“我回来了！”

两人玩儿得非常起劲儿，连爸爸回来了都没发现。

“哦哦，你们玩儿得可真够高兴的！”

"喂,莎兰,那个小羊让我玩儿一会儿。"

"不给你！这是我最喜欢的！"

"就玩儿一会儿还不行吗？"

"我说不行就不行！"

两人开始争抢起来,
一下把小羊给弄坏了。

"哇,太好了！还有蛋糕呀！"

两人睁大了眼睛说。

"这是妈妈送给你们的生日礼物！"妈妈微笑着说。

提姆却已经把手伸向了蛋糕。

"吃蛋糕之前把帽子和围巾送回房间去。"

"戴着帽子就不能吃蛋糕了吗？我真的很喜欢这顶帽子呀！"莎兰仰着头说。

"莎兰,你戴的那顶帽子呀,是用你小时候穿的毛衣的毛线织的。"

"啊,真的呀！"

"你奶奶经常把一些旧的毛线、衣服,做成漂亮的床罩、坐垫什么的。有时还一边织织补补,一边做好吃的蛋糕和奶油汤呢！"

"哇,奶奶怎么好像有魔法似的！"

爸爸送给两人的生日礼物，是从街上买回来的一大块奶酪。

生日晚餐非常丰盛，而且好吃，全家人都吃得饱饱的。

等饭桌上盘子里的东西都被吃光后，爸爸开始修理起小羊来。

"这个是爷爷做的吗？"提姆问爸爸。

"是啊。爷爷是他们村里最有名的木匠。他收集了一些碎木块儿，做了这只小羊。"

"爷爷真了不起！"两人异口同声地说。

"爸爸小的时候，爷爷也曾经为爸爸做过好多呢！"爸爸脸上带着追忆过去的表情。

"我们有了一个好主意。"提姆、莎兰一边转动着他们的
大眼睛一边说。

"这个好主意就是给爷爷和奶奶写封信。"

"真是个不错的想法！"

两人坐到爸爸的书桌前，开始写起信来。

"啊，糟糕！"

莎兰把墨水滴到了纸上。接着更糟糕的事情发生了——
提姆把墨水瓶也碰倒了。

"啊，怎么办呀……"

"好了，该睡觉了！"

妈妈看到弄得满脸都是墨水的两人大吃一惊。

"哎呀，你们这是怎么了？脏得妈妈都不认识了！"

"妈妈，我们是提姆和莎兰呀！"

"我们写好信了。"

莎兰得意扬扬地说。

"妈妈，你可不可以马上帮我们把这封信寄给爷爷、奶奶啊？"

"一定不要忘了呀！"

"好的，好的，我一定帮你们寄出去。你们放心地睡吧。"

"明天下雪就好了。"

提姆一边钻进自己的被窝一边说。"那样的话，我就可以把帽子、围巾和手套都戴上，到外面去玩儿了。"

"我希望春天早点儿来，我就可以去爷爷、奶奶家了。"莎兰说。

两天后的早晨，住在核桃村的爷爷奶奶收到了一封信。

"啊，老头子，那两个孩子可是第一次给我们写信呀！"

"他们一定是已经收到了我们的生日礼物了。信呢？让我看看。"

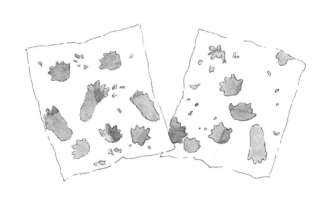

（提姆和莎兰写的信）

爷爷奶奶颠来倒去地看完正面又看反面，却没发现一个字。

"这是什么呀！"两人相互看了一眼说。

说完，又拿起信仔细找了一遍。

"老头子，我好像有点儿明白了。"

"是啊，是啊，那两个孩子真比以前懂事儿多了。"

爷爷奶奶面带微笑，把信拿在手中看了很久很久。

## 作者简介

芭蕉绿 著名绘本家,她创作的可爱的双胞胎形象——提姆与莎兰,自 1989 年问世以来,广受孩子们的喜爱,之后以差不多每年一本的速度又陆续推出了后 6 本。几乎每一本《提姆与莎兰》的推出,都会成为孩子们当年欢呼雀跃的盛典。这套绘本还被日本全国图书馆理事会、日本图书馆协会指定为必选图书。

## 译者简介

猿渡静子 1994 年留学北京,1998 年获北京大学文学硕士学位,2001 年获北京大学文学博士学位。曾发表小说、散文等若干。主要译作有《村上春树 RECIPE》、《再见了,可鲁——一只狗的一生》等。

## 提姆与莎兰系列丛书

图书在版编目(CIP)数据

远方寄来的生日礼物 /〔日〕芭蕉绿著绘;猿渡静子译. - 海口:南海出版公司,2003.3
(新经典文库, 1. 提姆与莎兰)
ISBN 7-5442-2163-6
Ⅰ.远… Ⅱ.① 芭… ② 猿… Ⅲ.图画故事 - 日本 - 现代 Ⅳ.I313.85
中国版本图书馆 CIP 数据核字(2002)第 020941 号

著作权合同登记号 图字:30-2002-36

TIMU YU SHALAN 1 YUANFANG JILAI DE SHENGRI LIWU
提姆与莎兰 1 远方寄来的生日礼物

| | | | | | | |
|---|---|---|---|---|---|---|
| 作 者 | 〔日〕芭蕉绿 | 译 者 | 〔日〕猿渡静子 | 责任编辑 | 陈明俊 | |
| 出版发行 | 南海出版公司 | 电 话 | (0898)65350227 | 社 址 | 海口市蓝天路友利园大厦 B 座 3 楼 | 邮编 570203 |
| 经 销 | 新华书店 | 印 刷 | 北京迪鑫印刷厂 | 开 本 | 889×1194 毫米 1/16 | 印 张 2 |
| 字 数 | 3 千 | 版 次 | 2003 年 3 月第 1 版 | 2003 年 3 月第 1 次印刷 | | |
| 书 号 | ISBN 7-5442-2163-6/I·513 | | | 定 价 | 18.00 元 | |